LES GARDIENS DU MASER 4

LA TOUR DE FER

Scénario et Dessin
Massimiliano FREZZATO

Co-scénariste
MANDRYKA

ÉDITIONS USA

Conception graphique: Tashi Bharucha

IL ÉTAIT UNE FOIS LA TOUR... EN L'EIZ 17, SUR KOLONIE, LA GLACE, DONT LES NAPPES AVAIENT JUSQU'ALORS RECOUVERT LA PLANÈTE, AVAIT ENFIN FONDU, ET LA SOCIÉTÉ DES COLONS ÉTAIT AU SOMMET DE SON DÉVELOPPEMENT SCIENTIFIQUE ET CULTUREL... CETTE PÉRIODE FUT APPELÉE L'ÂGE DE LA "GRANDE SPLENDEUR". ...PERSONNE N'AURAIT JAMAIS IMAGINÉ QUE TOUT ALLAIT BASCULER SI VITE: PENDANT LE 18ÈME EIZ, LE PEUPLE DES NAINS, LASSÉ PAR SA PLACE TOUT EN BAS DE L'ÉCHELLE SOCIALE, SE RÉVOLTA CONTRE LES HABITANTS HUMAINS DE LA TOUR... PENDANT LES HUIT EIZ DE GUERRE QUI S'ENSUIVIRENT, TOUT CONTACT FUT PERDU ENTRE LA TOUR ET LES COMMUNAUTÉS DE SAVANTS HABITANT PRÈS DES ÎLES. SOIXANTE EIZ SE SONT MAINTENANT ÉCOULÉS... LE TEMPS ET LA MORT ONT OEUVRÉ ENSEMBLE POUR EFFACER LE SAVOIR ET LES CONNAISSANCES TECHNOLOGIQUES. DÉSORMAIS, LA TOUR EST DEVENUE UNE LÉGENDE POUR CES GROUPUSCULES ÉPARPILLÉS QUI CROIENT ÊTRE LES UNIQUES SURVIVANTS D'UNE PLANÈTE, DONT PERSONNE NE SE SOUVIENT DU NOM. FANGO SE RETROUVE EMBARQUÉ DANS L'AVENTURE DU VIEUX ZERIT DONT L'EXISTENCE EST VOUÉE À LA QUÊTE DE LA TOUR DU MASER. ILS SONT TOUS DEUX ÉCHOUÉS SUR UNE ÎLE EMBRUMÉE QUAND ERHA PART SUR LES TRACES DE ZERIT. LE TRIO S'EST RETROUVÉ PRISONNIER DE L'INFÂME IVOLINA ET DE SES NAINS FANATIQUES. APRÈS UNE ÉVASION SPECTACULAIRE, LA CHOUETTE D'ERHA TOMBE EN PANNE DE CARBURANT ET ILS FONT UN ATTERRISSAGE D'URGENCE DANS UN CRATÈRE OÙ FANGO TROUVE L'AMOUR...

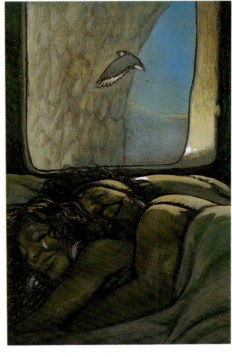
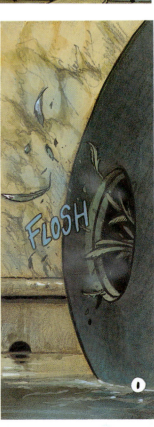

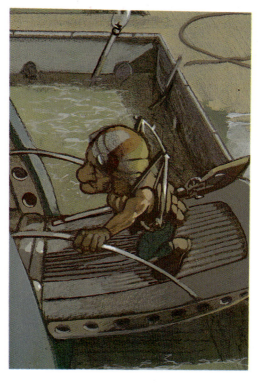

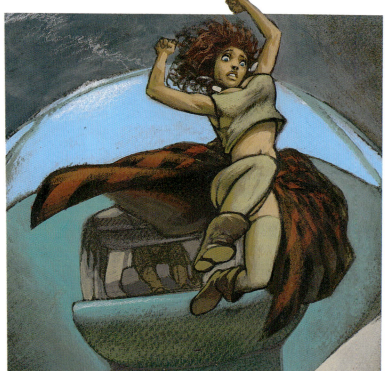

T'AS VU ÇA?!

ILS ONT MAL!

ÇA VA, ERHA?

LA TOUR!

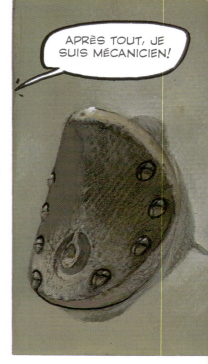

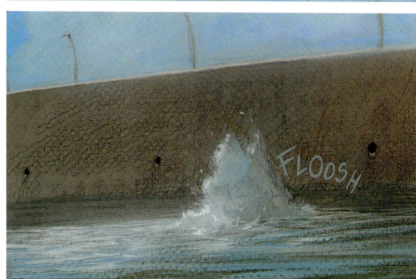

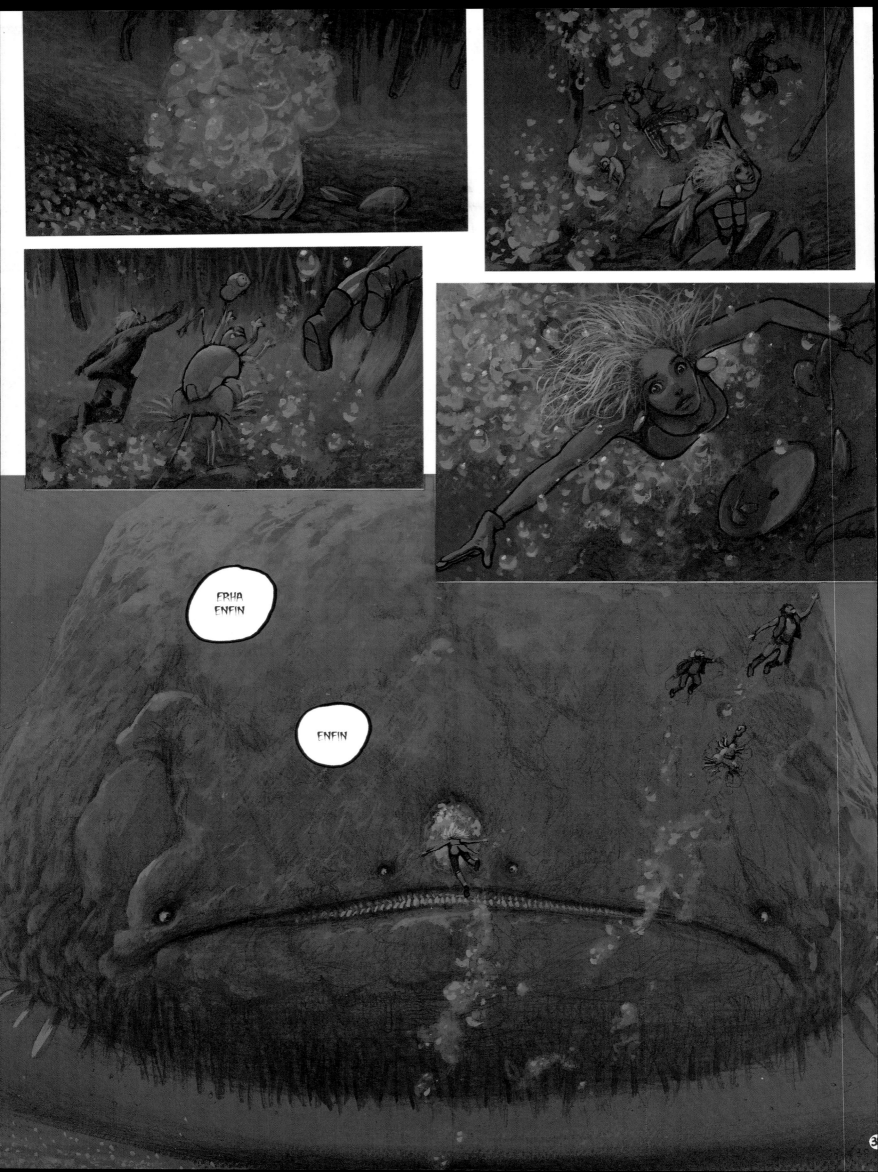

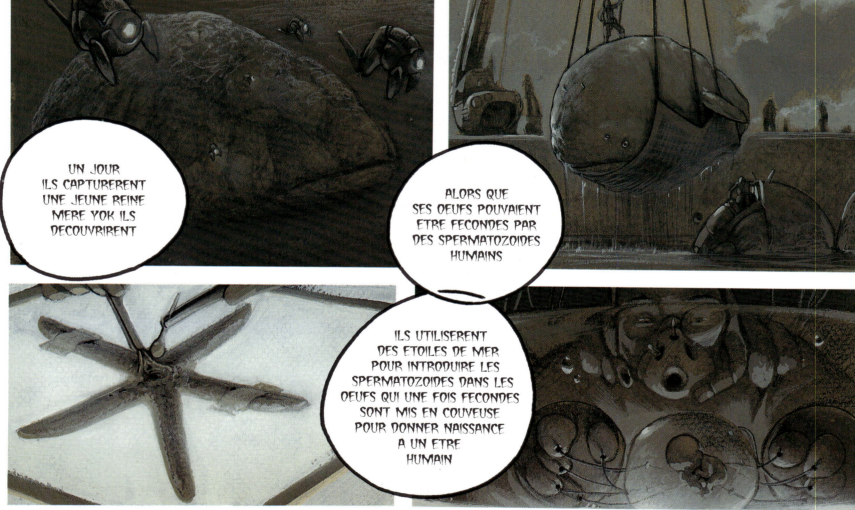

À TANIA...

...ET JE TIENS À REMERCIER ALBERTO BONIS, ALESSANDRO NAGAR, FABIO RUOTOLO ET MON FRÈRE AARON.

LES GARDIENS DU MASER 4: LA TOUR DE FER
Copyright © 2000, Editions USA / Massimiliano Frezzato
All Rights Reserved

Editions USA, 127 rue Amelot, 75011 Paris
ISBN 2-911033-87-6
Dépôt légal: septembre 2000
Imprimé en Italie par Valprint (MI)